ROBERT CAVELIER
DE LA SALLE

le prince des explorateurs

Données de catalogage avant publication (Canada)

Coté, Jean, 1927-

Robert Cavelier de La Salle: le prince des explorateurs

Pour les adolescents.

ISBN 2-89089-988-8

1. La Salle, Robert Cavelier de, 1643-1687 - Ouvrages pour la jeunesse. 2. Amérique - Découverte et exploration françaises - Ouvrages pour la jeunessse. 3. Explorateurs - Amérique du Nord - Ouvrages pour la jeunesse. 4. Canada - Histoire - 1663-1713 (Nouvelle-France) - Biographies - Ouvrages pour la jeunesse. I. Titre.

FC362.1.L37C67 1995   j971.4'014'092   C95-940321-3
F1030.5.C67 1995

LES ÉDITIONS QUEBECOR INC.
7, chemin Bates
Bureau 100
Outremont (Québec)
H2V 1A6
Tél.: (514) 270-1746

© 1995, Les Éditions Quebecor
Dépôt légal, 2ᵉ trimestre 1995

Bibliothèque nationale du Québec
Bibliothèque nationale du Canada
ISBN: 2-89089-988-8

Éditeur: Jacques Simard
Coordonnatrice à la production: Dianne Rioux
Conception de la page couverture: Bernard Langlois
Illustration de la page couverture: Caroline Merola
Révision: Sylvie Massariol
Correction d'épreuves: Claire Morasse
Infographie: Composition Monika, Québec
Impression: Imprimerie L'Éclaireur

ROBERT CAVELIER

DE LA SALLE

le prince des explorateurs

Jean Coté

Les Éditions
Quebecor

Table des matières

Faits marquants

Robert Cavelier de La Salle
(1643-1687)

1667 Épris d'aventure, Robert Cavelier de La Salle débarque à Québec et obtient un fief à Lachine par l'entremise de son frère Jean, sulpicien.

1669 Il explore les Grands Lacs.

Impressionnés par les récits de La Salle, Courcelle et Talon lui confient une mission: rechercher des mines de cuivre au sud des Grands Lacs et découvrir une route vers l'ouest, reliant la Grande Rivière à la Chine.

1673 Protégé par Frontenac, gouverneur de la colonie, La Salle se rend à Cataracoui pour y bâtir un fort qu'il baptise du nom de Frontenac.

1675 Le roi Louis XIV le récompense pour services rendus à la France et lui concède des titres de noblesse.

1678 La Salle construit le fort Conti à Niagara.

1679 Il construit et lance sur les Grands Lacs le *Griffon*, premier bâtiment à voile qu'on y ait vu.

1680 Il construit le fort des Miamis, celui de Crèvecœur et visite le pays des Illinois.

1682 Il parvient à l'embouchure du Mississippi (9 avril) et donne au pays le nom de Louisiane.

1684 Il repasse en France, obtient quatre bateaux du roi Louis XIV et met le cap vers le golfe du Mexique.

1685 L'expédition, sous le commandement du capitaine Beaujeu, tourne mal. Naviguant par temps de brume, La Salle dépasse de 500 kilomètres l'embouchure du Mississippi. Beaujeu l'abandonne sur une côte du Texas. La Salle explore le territoire, se lie d'amitié avec de nombreux chefs indiens.

1687 Il est assassiné (19 mars) traîtreusement par plusieurs de ses hommes. Il avait quarante-trois ans.

Prologue

Robert Cavelier de La Salle était un homme d'une stature exceptionnelle. Découvreur des bouches du Mississippi, vice-roi de l'Amérique septentrionale, on le qualifia de «prince des explorateurs français».

Très grand, robuste, courageux, opiniâtre, intrépide, infatigable, doué d'une vive imagination, La Salle avait l'étoffe du croisé. Les qualités de ce découvreur étaient toutefois atténuées par son instabilité, son caractère hautain et son humeur belliqueuse. Il avait du génie, mais il manquait de souplesse, son comportement arrogant lui créant de solides inimitiés et des haines implacables.

La Salle vécut à l'époque des grandes découvertes. Depuis que Christophe Colomb avait découvert l'Amérique en 1492 et Jacques Cartier, le Kannata, quarante-deux ans plus tard, ce continent inconnu, fascinant par son gigantisme, son or, ses mines et ses richesses fabuleuses, ne cessait d'attirer les aventuriers.

La France cherchait à reculer sans cesse les limites de son royaume, qui commençait sur les rives du Saint-Laurent. Elle comptait sur des explorateurs audacieux pour pénétrer plus avant la mystérieuse Amérique.

Robert Cavelier de La Salle, héros malheureux mais aventurier génial, allait, par son indomptable énergie et sa curiosité sans borne, éclaircir le mystère du Mississippi et étendre l'Empire français.

Avant lui, l'Espagnol Fernand de Soto avait pénétré dans le delta du Mississippi, remontant sur une distance de 1000 kilomètres le cours intérieur du fleuve, sans en atteindre la source. La mort le cueillit à l'embouchure de l'Arkansas, interrompant son exploration.

Ainsi, grâce à La Salle, le territoire de la Nouvelle-France, déjà énorme, s'étendit du Labrador au delta du Mississippi. Au nom de Louis XIV, roi de France et de Navarre, l'audacieux aventurier prit possession (le 9 avril 1682) de toutes les terres baignées par un fleuve immense, nommé le «père des eaux», qui reliait par le golfe du Mexique les principaux postes de la Nouvelle-France.

Chapitre 1

La Salle s'aventure sur les Grands Lacs

Rejeton d'une riche famille de Rouen, le jeune Robert Cavelier éprouva tôt une vive fascination pour le Canada. Cet envoûtement était nourri par l'aîné de la famille, Jean Cavelier, prêtre de Saint-Sulpice et missionnaire en Nouvelle-France. Lorsqu'il écrivait à ses parents, ce dernier affirmait vivre dans un pays extraordinaire, sans limites, une mystérieuse contrée à découvrir.

De surcroît, un des oncles de l'adolescent, Henri, marchand en gros de Rouen, était le vingt-quatrième actionnaire de la Compagnie des Cent-Associés. Par ses courriers, il recevait souvent des nouvelles de la colonie, renseignements et anecdotes qu'il partageait avec la famille.

Élève chez les jésuites, à Paris, Robert se destinait à une vocation sacerdotale, décision qui ne l'emballait pas outre mesure. Il dévorait les *Relations des jésuites*, publications riches en informations sur l'Amérique, et rêvait lui aussi de partir au loin, de vivre au rythme des rivières et de participer à la grande épopée canadienne.

Robert ne se sentait pas vraiment attiré par la vocation religieuse. Il acceptait son sort... maîtrisant de son mieux un tempérament altier et indépendant qui le poussait vers l'aventure.

Entré à la Compagnie de Jésus pour ne pas peiner son père, il détestait se plier aux règles rigides de la communauté. Mais une fois ses études terminées, il pensait qu'on l'enverrait comme missionnaire dans un lointain pays, la Chine ou le Canada.

Doué d'une vive intelligence, démontrant des aptitudes pour les mathématiques et les langues étrangères, le jeune Robert rongeait son frein et souhaitait que les circonstances favorisent une rupture avec un ordre religieux qui ne concordait nullement avec son esprit altier, libertaire et son exubérance.

Au collège Henri IV, à La Flèche, où ses supérieurs l'envoyèrent parfaire ses connaissances en géographie, en astronomie et en navigation, le virus de l'inconnu et de l'aventure poursuivit Robert. Nommé professeur à Alençon, il revint au collège Henri IV pour terminer sa philosophie. Il enseigna un an à Tours, une autre année à Blois et se sentit de plus en plus étouffé par une vie monotone et médiocre.

N'en pouvant plus, il écrivit au père Oliva, général de la Compagnie de Jésus, ne lui cachant rien de ses attentes. Il rappela à son supérieur qu'il connaissait bien l'espagnol et qu'il possédait l'arabe et l'hébreu. Au loin, dans un pays étranger, ça pouvait servir.

* * *

La mort de son père vint délivrer Robert Cavelier de l'obligation morale de devenir prêtre. Le 10 janvier 1667, il expédia une lettre de démission au général Oliva, qui fut bien content de se séparer d'un jeune homme indomptable, insoumis et si fougueux qu'il valait mieux lui redonner sa liberté que de l'encager.

Enfin, il était libre !

Sous le nom de Robert Cavelier de La Salle — nom d'un petit domaine qui appartenait à son père — il s'embarqua pour le

Canada. Sans le sou, disposant d'une rente de 400 livres, somme qui lui permettait tout juste de subsister, il avait comme projet immédiat de frapper à la porte de son frère Jean, sulpicien en Nouvelle-France.

Accoudé au bastingage du bateau qui l'emportait vers son rêve, Cavelier se sentait survolté, conquis par les paysages qui défilaient devant ses yeux. L'immensité du Saint-Laurent le sidérait. Quelle majesté! Rien de comparable en France. Les forêts, les plaines, les montagnes, la nature vierge exubérante, la luminosité du ciel, les vastes espaces qui n'en finissaient pas, le pays était à la mesure de ses ambitions.

À Ville-Marie, il se rendit sans tarder chez les sulpiciens. Son frère Jean, étonné de le voir, l'accueillit à bras ouverts.

— Mais comment as-tu fait pour rompre avec le puissant ordre des jésuites?

— Notre séparation a été harmonieuse. Et je pense, ajouta Robert, que mon supérieur n'était pas mécontent de me voir partir.

— Que comptes-tu faire? demanda Jean, affectueusement.

— D'abord, m'installer... on verra ensuite. Mais ce pays m'emballe.

Les yeux de Robert brillaient de fièvre et son enthousiasme, sa vitalité, sa fougue rendaient son personnage irrésistible.

— Tu en as de la chance, enchaîna Jean, sur un ton légèrement triomphant.

— Et pourquoi dis-tu cela, mon frère?

— À Ville-Marie, les jésuites n'ont aucun poids.

— Les sulpiciens mènent le bal, badina Robert. Comment envisages-tu mon installation?

— Eh bien, je pourrais en glisser un mot à Monsieur de Queylus, notre nouveau supérieur. Ça ne lui déplairait pas de voir un nouveau développement dans la région de Ville-Marie.

À la hauteur du Sault-Saint-Louis, à trois lieues[1] du fort de Ville-Marie, en amont des rapides, Robert Cavelier se vit concéder — verbalement — un domaine de quelques milliers d'arpents dont cinq arpents de front sur le fleuve à proximité du lac Saint-Louis. Les sulpiciens, par l'entremise de son frère, lui faisaient un beau cadeau.

-----

1. Une lieue représentait environ 4,5 kilomètres.

La Salle se mit résolument à la tâche. Pour intéresser les colons à s'installer sur son bien, il leur offrit, individuellement — sans droit seigneurial à payer pour une période de quatre ans — soixante arpents qu'ils pouvaient défricher à leur guise sans être assujettis à des redevances.

En d'autres mots, Cavelier de La Salle (nom qu'il avait maintenant adopté) utilisait une formule moderne de recrutement : installez-vous maintenant, payez plus tard.

Bien qu'il fût alors grand propriétaire terrien, la vie de colon ne lui souriait guère plus que la vie de religieux. Cependant, il fit bâtir une modeste maison et d'autres dépendances qu'il baptisa Saint-Sulpice, en guise de reconnaissance pour les religieux qui lui avaient permis d'acquérir une seigneurie sans coût déboursé.

Cavelier de La Salle n'avait rien du pantouflard. Il employait son temps libre à parcourir la région, étudiait des langues indiennes et s'initia graduellement aux us et coutumes des premiers habitants du pays.

* * *

Les coureurs des bois et fournisseurs de pelleteries faisaient halte au domaine de

Saint-Sulpice, avant de gagner Ville-Marie. Cavelier de La Salle les écoutait et les interrogeait interminablement.

Quelle était la part de vérité et de légende dans tous ces propos? Certains voyageurs racontaient même que, très loin, un grand fleuve, le «père des eaux» coulait vers l'océan.

Deux Iroquois de la nation des Tsonnontouans qui passèrent un hiver chez La Salle, en 1668, confirmèrent l'existence d'un fleuve immense qui traversait un pays ensoleillé; après une interminable course, il allait se jeter dans une mer encore plus grande.

— Cette grande mer, vous l'avez vue?

— Non. Personne ne l'a vue. Et pourtant, elle existe. Mais il faut voyager longtemps sur le «père des eaux» pour la voir.

Lors de ses déplacements à Ville-Marie, Cavelier de La Salle discutait ferme avec des Indiens qui venaient de partout. Beaucoup savaient ou avaient entendu dire qu'une grande rivière se jetait dans une rivière encore plus grande, que les Outaouais nommaient *Missi-sepe*. Ce mot magique devint une idée fixe pour Robert; il en parlait souvent à son frère Jean, s'efforçant de lui faire partager son enthousiasme.

Missi-sepe. Les yeux de Robert brillaient d'une flamme étrange à l'évocation de ce nom. Son frère Jean ne partageait pas cet engouement.

— Écoute, Robert, nous avons d'autres préoccupations à Ville-Marie, disait l'abbé non sans raison. Les Iroquois ne nous laissent aucun répit et nous avons fort à faire pour rester en vie.

Jean trouvait son cadet un peu lunatique. Selon lui, il aurait mieux valu que ce pauvre Robert s'occupe davantage de sa seigneurie au lieu de poursuivre un rêve chimérique. Le *Missi-sepe* était quelque chose de lointain, d'inaccessible, une utopie peut-être, alors que l'Iroquois, aux portes de Ville-Marie, restait une réalité concrète!

Cavelier de La Salle n'était pas homme à refouler ses rêves ou à se laisser influencer par l'indifférence de son entourage. En silence et dans la solitude, il mûrissait son grand projet: entreprendre une exploration vers l'ouest, découvrir un passage vers la Chine et agrandir par ses découvertes le domaine royal.

* * *

En 1669, Robert Cavelier de La Salle décida donc de se constituer un petit capital en vendant sa seigneurie. Les sulpiciens protestèrent.

— Mais nous vous avons donné ce bien, reprochèrent-ils à La Salle, lorsqu'il leur fallut débourser 1098 livres pour récupérer une partie du domaine.

La Salle avait trop besoin d'argent pour se laisser fléchir par les atermoiements. Une seule chose comptait pour lui: partir vers l'inconnu, à l'aventure.

Ayant réuni une somme de plus de 3000 livres en cédant des parties de son fief à Jean Milon, à Charles Le Moyne et à Jacques Le Ber, il attendit que le fleuve soit navigable, libéré des glaces, pour se rendre à Québec et exposer au gouverneur son audacieux projet.

Courcelle le reçut avec courtoisie, l'écouta avec patience et intérêt, car il pensait, tout comme l'intendant Talon, alors en voyage en France, que le pays, trop froid, ne se prêtait pas tellement à la culture, et qu'il fallait, tels les Espagnols au sud, exploiter les mines, la vraie richesse.

Le gouverneur constata que le jeune homme plaidait sa cause avec ferveur, passion et talent. Comprenant qu'il avait affaire à un individu d'une trempe bien spéciale, il l'autorisa à explorer les territoires vers l'ouest.

— Je vous trouve courageux, dit le gouverneur, en donnant à La Salle des lettres de recommandation. Vous allez affronter maints dangers. Quand comptez-vous partir?

— Au début de juillet.

— Eh bien, que Dieu vous garde, Monsieur!

Courcelle trouvait en La Salle un jeune homme déterminé, énergique et sans doute capable de mener à bien son entreprise, d'autant plus qu'il parlait l'iroquois avec aisance.

Trois individus en état d'ivresse — deux Français et un Hollandais — avaient tué une famille iroquoise peu de temps auparavant et cette affaire scabreuse risquait fort de perturber le voyage de La Salle, si justice n'était pas faite avant son départ. Les Iroquois avaient la mémoire longue. Ils mijotaient leur vengeance et pouvaient attendre des mois, des années même, avant de l'assouvir.

Pour ne pas mettre en péril son expédition, La Salle avait-lui même dénoncé les meurtriers au gouverneur.

— En plus des dangers auxquels nous nous exposons, Monsieur le gouverneur, je ne voudrais pas me retrouver avec les Iroquois sur les bras.

Courcelle le rassura.

— Préparez-vous sans inquiétude, Monsieur de La Salle. Nous ne laisserons pas ces meurtres impunis. Avant votre départ, les meurtriers seront fusillés.

* * *

Avec son propre argent, Cavelier de La Salle recruta 22 hommes, à raison de 400 livres chacun, pour une période de 12 mois.

L'abbé Dollier de Casson, ex-officier de cavalerie, un géant débonnaire fort comme un taureau, considéré comme un bretteur émérite, et un autre sulpicien, l'abbé Bréhan de Galinée, mathématicien et astronome, acceptèrent de se joindre à l'équipe de La Salle ; possesseurs de plusieurs canots en écorce de bouleau, ils emmenèrent avec eux sept hommes.

Tous les voyageurs savaient qu'ils s'imposeraient de durs sacrifices, se priveraient de pain, ne mangeraient que du maïs bouilli dans l'eau, coucheraient à la belle étoile, subiraient les cruelles morsures de moustiques, autant de contraintes et de fatigues, sans compter les portages éreintants à travers la forêt.

Deux Iroquois servaient de guides, ceux-là même qui avaient passé l'hiver au manoir de Saint-Sulpice; à leur endroit, La Salle s'était montré un auditeur attentif et un hôte généreux.

Contrairement à ce type d'aventuriers qui dépensaient en quelques semaines leurs gains d'une année dans les tripots, avec des femmes de mauvaise vie, La Salle appartenait à une autre catégorie. Ses ambitions volaient plus haut que l'appât du gain. S'il se livrait au commerce des fourrures, comme la plupart des administrateurs de son époque, il dédaignait la contrebande et vendait ses marchandises dans le circuit officiel de la traite.

La Salle n'était pas poussé à acquérir une fortune et à se retirer en France pour en jouir. Son ambition était de lier son destin et son nom à la postérité. Pour lui, sa renommée était aussi importante que la grandeur de la

France. Homme de vision et d'action, il regardait au-delà des normes connues; là où les autres rampaient, il planait.

* * *

Partie du lac Saint-Louis, la flottille s'engagea sur le Saint-Laurent. Les difficultés survenant avec les nombreux portages entamèrent vite le moral et la santé des membres de l'expédition.

Dollier de Casson proposa une halte pour que les malades puissent se reposer et récupérer un peu, mais La Salle, d'une façon autoritaire, s'y opposa, prévenant les religieux qu'il poursuivrait sa route sans eux. Le ton du découvreur ne laissait aucun doute sur ses intentions, et Dollier de Casson comprit que La Salle ne se laisserait pas manipuler.

Après cette première algarade, le voyage se poursuivit. Enfin, La Salle arriva au lac Ontario pour y trouver des Iroquois hostiles et agressifs.

Assistant au supplice d'un prisonnier que l'on torturait avec délectation sous les yeux de ses hommes, La Salle craignit un moment de se retrouver lui-même au poteau avec ses compagnons. Un mois après leur arrivée chez les Tsonnontouans, il se demandait si leur voyage ne s'arrêterait pas là, mais ces derniers décidèrent de les laisser partir.

La Salle, soulagé, se dirigea vers la rive sud du lac Ontario, non mécontent de laisser les missionnaires derrière lui, là où ils voulaient exercer leur ministère. L'aventurier possédait un caractère trop entier pour partager un commandement avec qui que ce fût; les exigences des deux religieux qui voulaient multiplier les haltes commençaient à lui peser.

L'expédition financée par ses soins n'avait pas pour but de convertir des païens, mais d'aller de l'avant pour reconnaître et explorer de nouveaux territoires. Bientôt, La Salle entendit le vacarme des chutes du Niagara, spectacle grandiose qui l'émerveilla. Mais pressé par la saison et l'approche de l'automne, il écourta son séjour dans ce lieu enchanteur, campa plusieurs jours à Tinawatawa, et choisit de passer l'hiver à Ganastaké[1], bourgade mieux organisée.

Durant tout l'hiver, il eut le temps de parfaire ses connaissances en iroquois, d'élaborer le plan de sa prochaine expédition et de comprendre, à la lumière des discussions, qu'il tenait un bon filon.

_____

1. Aujourd'hui, la ville de Hamilton, au sud de Toronto.

Au printemps de 1673, il revint à Ville-Marie, complètement ruiné. Les gens de l'endroit ne se gênaient pas pour lui décocher des quolibets.

— Eh bien, Monsieur de La Salle, vous l'avez trouvée, la route de la Chine?

— Ne craignez rien, répliquait-il, conscient qu'on se moquait de lui, je la trouverai bien un jour.

Pour survivre, La Salle, en compagnie de plusieurs Français et Indiens, consacra dès lors tout son temps à la chasse, mais son esprit était ailleurs, sur les routes de l'aventure.

Tout ce qu'il entreprenait, il le faisait uniquement pour se rapprocher de son but. À ceux qui l'interrogeaient sur ses projets, il répondait sur un ton vibrant et convaincu.

— Je veux donner un empire au roi de France et tous les territoires que je foulerai dans l'avenir.

À l'écouter, les gens de Ville-Marie le prenaient pour un illuminé et beaucoup le désignaient, en manière de dérision, comme le seigneur de la Chine.

La Salle laissait braire ses détracteurs. Il savait qu'il les dépassait de cent coudées et que son heure viendrait. Quand? Il l'ignorait.

*   *   *

En 1672, vint en Nouvelle-France le puissant gouverneur Louis de Buade, comte de Palluau et de Frontenac, l'homme qui devait épouser les vues de La Salle, lui assurer sa protection et lui ouvrir les portes de la renommée.

Chapitre 2

Frontenac devient son protecteur

Sous bien des rapports, Frontenac et La Salle se ressemblaient étrangement. Ils étaient faits pour s'entendre comme larrons en foire. Hautains tous les deux, pleins d'arrogance et de suffisance, déterminés, courageux à l'extrême, ils se virent, se reconnurent et se plurent.

Avant de quitter son poste, l'intendant Talon, un homme utile à la colonie, avait longuement expliqué au nouveau gouverneur que les jésuites en menaient large à Québec et qu'ils ne se soumettaient qu'à leur général et au pape.

Le nez de Frontenac trembla de fureur. Royaliste à tout crin, imbu des prérogatives de sa charge — il n'aimait pas la Compagnie de Jésus — le nouveau gouverneur devint automatiquement l'adversaire des jésuites.

Sauver des âmes païennes, très bien, mais la part du lion sur terre revenait au roi. La Salle partageait cet avis. De ses neuf années chez les jésuites, il avait gardé un goût d'amertume.

Dès leur première rencontre, La Salle et Frontenac pactisèrent, discutèrent longuement, découvrirent qu'ils avaient des intérêts communs; La Salle trouva un puissant protecteur en la personne du gouverneur et ce dernier crut bon de s'associer à des gens déterminés pour voir grossir sa fortune.

Il fut décidé dans un premier temps de construire un fort au lac Ontario, à l'extrémité est, projet déjà envisagé par Courcelle. Au cœur des territoires de chasse, cette place forte jouerait un double rôle : elle se dresserait sur la route des éventuels ennemis et inciterait les Indiens à y vendre leurs fourrrures au lieu de les porter aux Agniers, une nation iroquoise, de New Amsterdam (New York actuelle).

Si Frontenac envisageait la construction d'un fort au lac Ontario, le projet caressé par La Salle était plus ambitieux. D'exploration en exploration, on atteindrait la mer conduisant à la Chine, et aussi loin que les canots pouvaient aller, l'expansion de la Nouvelle-France ne connaîtrait pas de limite. La Salle imaginait une kyrielle de places fortes aux couleurs de la France ; la piste d'un empire à naître serait jalonnée de forts, lesquels, construits à des endroits stratégiques, monopoliseraient tout le commerce des pelleteries.

Frontenac écoutait, ravi. La Salle voyait grand, très grand, et sa vision prophétique de l'Amérique entrait dans les vues de Frontenac.

— Commençons par le début, dit le gouverneur. La mission que je vais vous confier est importante.

— Je suis à vos ordres, Monsieur.

— Ne bâtissons pas à l'aveuglette. Comme prochaine étape, il nous faut l'appui des chefs des Cinq-Nations.

— Ils se méfient des Français, fit remarquer La Salle.

— Mais aussi des Anglais et des Hollandais. Sans leur assentiment, il serait téméraire de vouloir construire, à la porte de leurs cabanes, un fort à Cataracoui.

— Qu'attendez-vous de moi?

— Préparez une rencontre à Kenté. Convoquez-les à une assemblée plénière.

— À quel titre, Monsieur?

— À titre d'ambassadeur spécial, ce que vous devenez à l'instant même.

Cette marque de confiance fut un véritable stimulant pour La Salle.

— Comptez sur moi, Monsieur le gouverneur.

La Salle se mit aussitôt en campagne pour le grand rassemblement du 1er juillet 1673, à Cataracoui, un événement qui, par son panache, devait séduire les farouches délégués iroquois.

* * *

Frontenac avait le sens du spectacle. Il n'arrivait pas quelque part, il apparaissait. Il aimait le faste, la parade, la pompe, la faconde, l'opulence. Il s'amena dans la péninsule sur un bateau à fond plat entouré d'une nombreuse escorte et suivi d'une flottille de 120 canots.

Vêtu avec recherche, flanqué de 400 soldats portant des uniformes chamarrés, d'un corps d'ouvriers et des notables de la colonie, Frontenac, majestueux, trônait sur un siège improvisé.

Les Indiens furent estomaqués par ses manières royales et la troupe nombreuse qui l'entourait. Si Frontenac n'était que le serviteur du roi au-delà de la grande mare, que devait être — sinon une splendeur — le maître tout-puissant du gouverneur? Au roulement des tambours, les acteurs de ce spectacle à grand déploiement descendirent des canots avec une dignité étudiée et dans un ordre rigoureux. Ils jouaient leur rôle avec brio.

On dressa les tentes sur le site choisi. Frontenac se retira dans la sienne, préférant attendre pour engager les palabres, d'habitude interminables.

Le lendemain, par un soleil radieux, le gouverneur, vêtu d'un costume magnifique, apparut sur la place et entreprit de distribuer des cadeaux aux enfants et aux femmes, alors que ses ouvriers mettaient tout en œuvre pour dresser les palissades qui ceintureraient le fort.

Le scénario consistait à créer une diversion pour que les Iroquois, ombrageux et soupçonneux, n'aient pas le temps de réaliser ce qui se passait. La construction d'un fort sous leurs yeux pouvait déclencher la colère des chefs, mais une généreuse distribution de fusils et de munitions fit taire les objections, pendant que Frontenac, bon psychologue et comédien accompli, amorçait un long discours.

— Mes enfants, ne pensez pas que la guerre soit le but de ce voyage. Mon esprit est rempli de paix et elle marche avec moi.

Pendant que le gouverneur pérorait, l'intendant Reaudin, chargé de l'exécution des travaux du fort, distribuait les tâches aux ouvriers.

— Oui, mes enfants, poursuivait Frontenac, imperturbable, la puissance d'Ononthio est grande. Regardez autour de vous! Voyez le nombre de gens et avec quelle facilité ils ont sauté les rapides avec nos barques et nos canons! Ononthio est venu vers vous pour une promenade d'amitié. Jugez ce qu'il pourrait faire s'il voulait s'en prendre à ses ennemis. Travaillons ensemble. Ne commercez plus avec les Anglais, mais avec des personnes de confiance tel que le sieur Robert Cavelier de La Salle, que voici à mes côtés. Il vous écoutera. Il connaît bien vos problèmes. En tout temps, vous pourrez compter sur son amitié.

Les anciens, la pipe entre les dents, pétunaient, cherchaient à évaluer la sincérité des paroles de leur noble visiteur, traduites au fur et à mesure par Charles Le Moyne de Longueuil.

Les travaux entrepris par les ouvriers progressaient rapidement et Frontenac se demandait si l'un des chefs ne se lèverait pas pour protester avec véhémence contre une telle intrusion.

— Oh! vous avez bien fait, mes enfants, d'avoir suivi les commandements de votre Père en venant ici. Par moi, vous entendrez sa parole qui est toute de douceur et de paix et remplira de joie vos cabanes.

Tout en discourant, le vieux gouverneur jetait des regards rapides aux travaux du fort qui allaient bon train, sujet d'émerveillement pour les Iroquois qui n'avaient jamais vu rien de tel et tant d'habileté qu'ils en avaient le souffle coupé.

De jour en jour, fondait la méfiance des Iroquois. Ils voyaient bien qu'un fort se construisait sur leur territoire, que les murs montaient à vive allure, mais ils étaient sidérés, envoûtés par une réalisation qui tenait du prodige.

Au bout d'une quinzaine de jours, Frontenac tenait la situation bien en main. Non seulement il avait réussi par la diplomatie et les bonnes paroles à endormir les Iroquois, mais ces derniers ne juraient plus que par lui. La partie était gagnée.

Très fier de sa visite et enchanté des résultats, Frontenac entreprit le voyage de retour, confiant à La Salle le soin de parachever et de gouverner le fort de Cataracoui qui prit plus tard le nom de Frontenac.

* * *

À l'automne, ayant besogné ferme à Cataracoui, La Salle rentra à Ville-Marie, pour découvrir l'hostilité ouverte de nombreux concitoyens. Le bruit courait que le gouverneur Frontenac et La Salle étaient de mèche pour concurrencer les marchands dans le commerce des pelleteries. Ils avaient même construit un fort pour accaparer les marchandises, ce qui semblait déloyal et inacceptable. Frontenac semblait bel et bien en conflit d'intérêts.

Entre Québec et Ville-Marie, il y eut un échange de coups sous la ceinture et, du haut de la chaire, l'abbé Fénelon jeta de l'huile sur le feu : il dénonça vertement les pratiques de Frontenac dans la conduite des affaires de la colonie.

Dans l'intervalle, fin août 1674, Louis Jolliet, qui venait de parcourir près de 5000 kilomètres dans la région des Illinois, apporta une nouvelle inattendue : le Mississippi ne coulait pas vers la mer mais vers le golfe du Mexique. Cette information porta un coup terrible aux prétentions de La Salle.

Néanmoins, il en fallait davantage pour l'abattre. Sa résolution était prise. Il irait en France pour vendre son projet et obtenir le feu vert afin de pousser ses explorations vers le sud et d'aller au-delà du connu.

Frontenac l'encouragea dans sa décision et lui donna une lettre de recommandation fort élogieuse. «Le sieur de La Salle est un homme intelligent, plus capable qu'aucun autre de mener à bien toute découverte qu'on voudra lui confier car il possède une vaste connaissance de l'état du pays.»

* * *

Obtenir une audience du contrôleur général des finances exigeait de solides appuis. Après des mois d'attente, La Salle fut reçu.

Il plaida sa cause et obtint du Conseil d'État qu'on lui cède la seigneurie du fort Frontenac, le droit de pêche, la libre disposition des terres. En contrepartie, il promit de rebâtir le fort en pierres, de payer au gouverneur la somme de 12 000 livres tournois (coût de l'établissement déboursé par Frontenac à Cataracoui), de défricher le sol et d'y attirer soldats et habitants.

Le projet de La Salle fut bien accueilli, car il ne coûtait rien au trésor royal, Cavelier s'engageant à financer lui-même toute l'opération. En plus d'acquiescer à sa demande, Louis XIV délivra à La Salle des lettres de noblesse pour récompenser son courage.

Mais il fallait de l'argent, beaucoup d'argent pour donner suite à un projet aussi ambitieux. La Salle se mit en chasse auprès des membres de sa famille, réjouie de savoir que Robert était dans les faveurs du roi, et persuadée que l'aventurier tenait un bon filon. Aussi s'empressa-t-on de délier la bourse... et de lui accorder tout ce qu'il demandait.

De La Rochelle, en possession de 50 000 livres, somme importante pour l'époque, La Salle s'embarqua pour Québec. Il voyagea sur le même bateau que monseigneur de Laval, adversaire de Frontenac, le père Hennepin, Récollet, et Jacques Duchesneau qui remplaçait Talon comme intendant.

Une fois à terre, La Salle se hâta d'enregistrer ses titres. Il remboursa Frontenac, prêta serment comme gouverneur du fort de Frontenac et se hâta de partir pour sa seigneurie.

Durant les mois qui suivirent, il mit toutes ses énergies à construire sa forteresse.

En septembre 1676, Frontenac lui rendit visite et fut étonné de voir à quel point son protégé tenait promesse. Le fort modeste avait subi une incroyable métamorphose ; les palissades de bois avaient été remplacées par des remparts de plus de cinq mètres d'épaisseur, un large fossé courait autour de la place forte et toutes sortes de dépendances dont un moulin, une boulangerie, une clinique pour les malades, une armurerie, avaient surgi de terre.

La Salle fit visiter son domaine à Frontenac. Il insista sur les 1200 arpents de terre défrichés par ses soins où pousseraient bientôt des vignes, des fruits et des légumes de toutes sortes. Le gouverneur félicita chaudement son protégé, car il ne s'attendait nullement à voir en si peu de temps pareille réalisation.

La Salle confia à Frontenac qu'il comptait retourner en France pour parler au roi et l'entretenir de son vaste dessein: explorer la région des Illinois et en solliciter la concession.

Plutôt piètre administrateur, La Salle était un homme d'action. Il aurait pu vivre dans une large aisance avec les seuls revenus de sa seigneurie, mais il ne pouvait rester en place, irrésistiblement attiré par l'inconnu.

Ses lettres à sa mère témoignent toutes d'une certaine grandeur: «Je n'ai d'autre attrait dans la vie que l'honneur. Je crois les entreprises d'autant plus dignes qu'il y a plus de périls et de peines.»

La Salle ne cherchait pas la sécurité, le pouvoir de l'argent, mais une consécration de son vivant — ce qu'il eut à titre posthume seulement — de son héroïsme.

Par son caractère, sa volonté inflexible, son goût de la solitude et ses mœurs simples, La Salle se distinguait des gens de son époque, à la recherche du profit.

Ceux qui le côtoyaient le trouvaient distant, triste, silencieux, souvent brutal, ce qu'il était en apparence. Mais il avait des moments d'attendrissement.

Cet homme habité d'une passion aussi forte, et propulsé par un rêve à prime abord inaccessible, ne pouvait s'attendre à être compris par son entourage, sauf de quelques-uns.

Beaucoup croyaient que le découvreur avait l'âme d'un marchand et qu'il deviendrait, grâce à la traite, aussi riche que Crésus avec les années. Alors, il n'était pas mauvais de s'associer à un tel homme par surcroît estimé par le roi.

Seul l'intérêt à court et à long terme motivèrent les actionnaires de La Salle. La grandeur de la France n'était pas, au premier chef, une raison suffisante d'investir dans les entreprises de l'audacieux aventurier.

Chapitre 3

La Salle fait construire le Griffon

La Salle ne restait pas en place. Après avoir quitté la colonie en septembre 1677 pour retourner en France et exposer ses plans ambitieux à Colbert, l'intrépide aventurier revint en Nouvelle-France, l'année suivante, le 14 juillet 1678.

Son entrevue avec Colbert avait été difficile à obtenir, car ses détracteurs l'avaient précédé pour lui faire une sale réputation. Toutefois, introduit au prince de Conti par l'abbé Renaudot, fidèle à La Salle, les portes s'ouvrirent.

Louis XIV lui accorda, pour les cinq années à venir, à condition que le trésor royal n'en souffrît pas, des «lettres patentes» pour découvrir et explorer la partie occidentale de la Nouvelle-France.

Une fois de plus, La Salle se mit en quête de trouver des fonds. Il savait convaincre. Les spéculateurs lui accordèrent du crédit moyennant des intérêts faramineux. Mais La Salle avait trop besoin d'argent pour s'offusquer des exigences de ses investisseurs. Les prêteurs se fichaient de l'expansion de la Nouvelle-France. Ils poursuivaient un seul et unique but: le profit. La Salle dut donc accepter des conditions humiliantes.

Le 14 juillet 1678, il quitta le port de La Rochelle, emmenant avec lui une trentaine d'hommes dont une recrue de qualité, le chevalier Henri de Tonty, dit Main-de-fer.

Blessé à la bataille de Libisso, Tonty s'était lui-même, et de sang-froid, amputé la main droite; l'intervention terminée, il se rua dans la bataille comme si de rien n'était. D'un courage à toute épreuve, il possédait une qualité aussi rare de nos jours qu'hier: la loyauté.

Dans les cales du *Saint-Honoré*, La Salle transportait des armes à feu en grand nombre, des munitions, des agrès pour construire un bateau, des vêtements, de l'eau-de-vie, en tout plus de 20 000 livres de marchandises.

Pas plus catholique que le pape, La Salle pensait qu'il fallait se battre contre les concurrents, Anglais et Hollandais, avec les mêmes armes. Ces derniers vendaient des fusils et de l'eau-de-vie aux Autochtones, lui aussi en vendrait.

À son arrivée à Québec, La Salle tomba malade, mais sa forte constitution lui permit de se rétablir très vite pour assister à une importante assemblée concernant la vente de l'eau-de vie aux Indiens.

Les discussions furent houleuses. Les partisans de Frontenac remportèrent la partie haut la main pour la vente de l'alcool contre ceux de monseigneur de Laval, lequel s'insurgeait contre cette pratique. Adversaire du gouverneur, monseigneur de Laval s'embarqua tout aussitôt pour la France, décidé à obtenir du roi la cassation de cette décision.

La Salle avait le champ libre. Prochaine étape : Niagara.

* * *

Par l'une de ces belles journées dont la nature canadienne est prodigue, La Salle quitta le fort de Frontenac, laissant sur place un homme de confiance pour s'occuper du commerce de la traite. En compagnie de plusieurs hommes, il se dirigea en canot vers le lac Ontario où le père Hennepin et La Motte de Lucière se trouvaient déjà depuis six mois. Son mandat était précis: convaincre les Tsonnontouans d'accepter que les Français construisent un fort à deux lieues environ de la chute du Niagara.

La Salle retrouva tout son monde en bon état. Les ouvriers n'avaient pas perdu leur temps.

À l'embouchure de la rivière dont les puissantes chutes sont depuis toujours un objet d'émerveillement, le fort prenait forme, grandissait à vue d'œil.

En aval, sous la direction de Main-de-Fer, ainsi baptisé par les Indiens, les ouvriers s'employaient à construire un immense bateau que La Salle nomma le *Griffon*, en l'honneur de Frontenac dont les armoiries portaient deux griffons.

Les Tsonnontouans contemplaient avec anxiété le monstre tout en bois. Ils grognaient, manifestaient leur désapprobation.

— À quoi cela servira-t-il? demandait-on.

Le père Hennepin et Main-de-Fer tentèrent de les rassurer sur le pacifisme du «monstre» et de leur interdire le chantier, car des bruits couraient que des esprits malfaisants voulaient incendier la carcasse de bois du bateau.

En mai, après un travail forcené, le *Griffon* fut enfin prêt à prendre la mer. Bien construit, solide, le bâtiment avait belle allure. Après un effort colossal pour le tirer dans le courant de la rivière, le *Griffon* démontra qu'il flottait selon les règles.

De la trentaine d'ouvriers jaillit un immense cri de joie. La Salle donna le signal des réjouissances. Un pareil tour de force se fêtait. Sous les yeux ébahis des Indiens, les Français firent bombance, noyant les fatigues dans un flot de bon vin.

À présent, il fallait conduire le *Griffon* au lac Érié. La Salle s'installa à la barre. Tout au long d'un voyage périlleux, luttant contre les vagues rugissantes et les courants impétueux, le «monstre», armé de sept canons, faillit couler plus d'une fois.

À l'entrée du lac Huron, il fut rudement secoué par des vents furieux. Le lendemain, 23 août, une tempête faillit l'envoyer par le fond.

Tous se crurent perdus et tous prièrent saint Antoine de Padoue de les tirer de ce mauvais pas. La Salle promit même de lui bâtir une chapelle si les flots déchaînés du lac Huron s'apaisaient.

Enfin, la tempête perdit peu à peu son intensité et Saint-Ignace-de-Michillimakinac, mission peuplée d'Outaouais et d'Hurons refoulés par les Iroquois, apparut tout au loin sur le promontoire reliant le lac Huron au lac Michigan.

Sur les rives, les Indiens n'en croyaient pas leurs yeux. Comment ce «monstre» avait-il pu parvenir jusqu'à eux?

Le lendemain, vêtu d'un manteau écarlate galonné de boutons d'or, entouré de son état-major, des missionnaires, des coureurs des bois et de nombreux Indiens, La Salle expliqua — en réponse aux questions sur toutes les lèvres — que le *Griffon* avait été construit pour transporter d'énormes quantités de pelleteries.

Durant plusieurs semaines, les fournisseurs s'amenèrent au camp de La Salle avec de grands canots pleins de peaux.

Une fois les cales du bateau remplies à craquer, La Salle décida, malgré les avis contraires, de faire conduire le *Griffon* chargé à bloc à Niagara, décision hasardeuse puisque le temps automnal — mélange de pluie et de neige — poussait à la prudence. Mais La Salle voulait, en forçant sa chance, apaiser la meute de ses créanciers.

Tonty lui déconseilla d'entreprendre un tel voyage, le père Hennepin le supplia d'attendre un moment favorable, de retarder le départ du *Griffon*, mais La Salle n'en fit qu'à sa tête.

Aussi prit-il un risque énorme et irrationnel en confiant la précieuse cargaison qui valait une fortune, à quatre hommes d'équipage, un commis et un pilote, qui était considéré comme un traître à la solde des ennemis de La Salle.

Les hommes les plus brillants — et La Salle était l'un de ceux-là — se conduisent souvent d'une manière absurde. Trop orgueilleux pour reconnaître son erreur, La Salle, sans faire la part des choses, envoya le *Griffon* à sa perte. Il pensait davantage à sa mission qu'à son commerce.

En cet automne froid, pluvieux et venteux, il fit mettre les canots à l'eau pour entreprendre son voyage vers le sud avec le reste de son équipe, en tout seize compagnons.

Le temps était si mauvais qu'il fallut mettre pied à terre et camper en attendant que le vent se calme.

* * *

Tôt le matin, La Salle découvrit que les canots avaient été vidés de leur contenu. Le vent hurlait si fort que la sentinelle interrogée n'avait rien entendu.

Un Indien trop curieux, caché dans un taillis, tomba heureusement entre les mains de La Salle, qui le questionna. Il menaçait de le passer par les armes lorsqu'il aperçut, à l'orée de la forêt, une centaine d'Indiens Outagamis à l'allure menaçante, sans doute les voleurs.

Sans hésiter, les Français formèrent une seule ligne et, fusil à la main, marchèrent en direction des guerriers Outagamis.

Cherchant à éviter le bain de sang, le père Hennepin s'interposa.

— Nous sommes des amis, dit-il. La Salle est votre ami. Tout ce qu'il veut, c'est récupérer le butin qu'on lui a volé.

Les Outagamis parlementèrent longtemps. Enfin, ils cédèrent aux instances du père Hennepin et rendirent les marchandises volées durant la nuit.

C'est tout ce que voulait La Salle. Le voyage vers le pays des Illinois pouvait continuer.

Pour arriver au village des Illinois, par la rivière Kankakee, il y avait environ 1000 kilomètres à parcourir. Dans des conditions épouvantables, bravant le froid, la neige et le vent, le petit groupe arrivait à franchir près de quatre-vingts kilomètres par jour.

Les hommes de La Salle était morts d'épuisement, mais ce dernier se montrait infatigable. Dur envers ses hommes, il l'était envers lui-même.

Ces folles équipées par monts et par vaux, la mauvaise alimentation et les fatigues surhumaines endurées par les engagés, poussaient parfois ces derniers à se révolter contre les chefs d'expédition.

La Salle l'échappa de justesse, la veille de Noël, alors qu'un certain Duplessis pointa son arme contre lui. Le coup fut dévié, mais ce n'était pas la première fois, ni la dernière, que La Salle risquait d'être tué par des mécontents.

Déjà l'un de ses serviteurs avait tenté de l'empoisonner en versant du vert-de-gris dans une salade. Très malade durant quelques jours, La Salle avait recouvré la santé sans que le poison ne laissât de trace dans son organisme.

La petite troupe atteignit finalement le paisible village des Illinois formé d'environ 400 cabanes fabriquées de longs berceaux et recouvertes de nattes en joncs plats.

Le village était vide à la grande déconvenue de La Salle qui, néanmoins, en profita pour refaire ses provisions d'aliments, se promettant de rembourser les propriétaires plus tard. Un vol dans ce pays pouvait avoir des conséquences dramatiques.

Durant cinq jours, La Salle pagaya ferme pour atteindre Pimiteoui (Peoria, aujourd'hui), où 4000 Illinois s'étaient regroupés pour entreprendre une grande chasse.

Ne sachant quelle réception on lui réserverait, La Salle se prépara au combat. Il n'eut pas à tirer un seul coup de fusil, car les chefs illinois lui firent de grandes démonstrations d'amitié dès qu'il eut mis le pied à terre.

Les traditionnels calumets circulèrent. La Salle offrit de payer les marchandises qu'il avait prises quelques jours plus tôt dans le village déserté et étala ses cadeaux, invitant les chefs à se servir.

Les Illinois apprécièrent la générosité de La Salle et ordonnèrent de préparer un grand festin en l'honneur de leurs invités.

Les chefs voulurent savoir pourquoi La Salle se trouvait si loin de son fort. Il expliqua son désir de parcourir le Mississippi et de construire un fort à plus d'une centaine de kilomètres au sud.

L'attitude des Illinois changea du tout au tout quelques semaines plus tard, après le passage du chef maskoutin, Monso, émissaire des ennemis de La Salle. Il raconta aux Indiens que l'aventurier n'était pas là par hasard.

— La Salle est un traître, dit Monso. Méfiez-vous de ce serpent. Il vous parle d'amitié mais il cherche à vous diviser pour que les Iroquois, ensuite, avec lesquels il a un pacte, viennent vous assiéger.

Confronté aux accusations de Monso, La Salle eut fort à faire pour se dépêtrer d'une situation délicate... sans parfois y réussir pleinement.

Le doute habitait maintenant l'esprit des Illinois.

Six de ses hommes, qui craignaient que les Indiens ne leur fassent un mauvais parti, s'enfuirent[1] en pleine nuit emportant avec eux une bonne partie du matériel apporté par La Salle.

Mais les épreuves n'entamaient pas le moral de La Salle. Il réunit donc les hommes qui lui restaient et leur parla ouvertement, les invitant à taire la désertion des traîtres.

— Ceux qui veulent me quitter pourront le faire à leur guise dès la fonte des neiges. Je ne forcerai personne à m'accompagner sur le Mississippi. En attendant, il nous faut construire le fort assez loin du village des Illinois pour qu'ils ne nous tombent pas dessus à une prochaine occasion.

Le langage énergique de La Salle redonna confiance aux membres de son équipe dont plusieurs n'avaient pas été payés depuis trois ans.

Mais la nouvelle de la disparition du *Griffon* que plus personne n'avait revu, tracassait La Salle. Il s'en ouvrit à Tonty.

— Je ne peux rester dans l'incertitude, lui avoua-t-il.

---

1. On sera sans doute surpris du peu de loyauté de plusieurs des «engagés» du découvreur, tout au long de sa pénible aventure en Amérique; ce dernier recrutait les hommes non pas tant pour leur qualité que pour leur disponibilité.

Tonty comprenait. Le bateau portait une riche cargaison, presque toute la fortune de La Salle.

— Que comptez-vous faire?

— Retourner sur mes pas. Me rendre compte par moi-même de ce qui est arrivé. En mon absence, vous construirez le fort et la barque. Le père Hennepin, le père Picard et Michel Accault partiront devant pour explorer les bouches du Mississippi.

Tonty calculait les énormes fatigues que s'imposerait son chef au cours d'un impossible voyage. Mais quoi qu'il eût dit pour convaincre La Salle de retarder son projet, ce dernier n'en démordait pas.

En compagnie de quatre Français, La Violette, Hunaud, Collin, d'Autrin et de son fidèle Nika, un Indien chaouanon qui le suivait partout, La Salle fit ses préparatifs de départ.

Chapitre 4

Des années de cauchemar

Durant vingt-quatre jours, au cours d'une marche surhumaine, luttant contre les éléments — neiges fondantes, nuits glaciales —, La Salle et ses hommes s'imposèrent des efforts inouïs et d'incroyables privations pour atteindre le fort des Miamis, première étape de ce voyage cauchemardesque.

Obligés de se traîner sur la neige, de fabriquer des radeaux de fortune pour franchir les rivières à moitié gelées, d'abandonner les provisions pour alléger les charges et de se nourrir par le produit de la chasse, les explorateurs parvinrent finalement au fort des Miamis, à bout de force et dans un état lamentable, après avoir usé des mocassins à la douzaine.

Les nouvelles concernant le *Griffon* ne furent guère rassurantes. Personne ne savait ce qui était arrivé au bateau. Il avait disparu. Volatilisé. On ne l'avait plus revu.

Même s'il venait de parcourir près de 500 kilomètres dans des conditions épouvantables, La Salle, toujours obsédé par le *Griffon*, demanda un bon matin un effort supplémentaire à ses hommes. Il voulait reprendre les pistes boueuses et les rivières gelées pour la deuxième étape : atteindre le fort Conti de Niagara, soit parcourir une distance d'environ 900 kilomètres.

Après un court repos, la marche forcée reprit à travers la savane, les marécages et les rivières gelées, traqués durant des jours par les Indiens ouapous, puis par des Maskoutins. Dans un jeu de cache-cache, de pistes brouillées et de feintes, Nika, l'Indien, s'employa à tromper les poursuivants par toutes sortes d'astuces dont les Autochtones avaient le secret.

Pour comble de malheur, les quelques hommes de La Salle, déjà éprouvés par la marche précédente et mal remis de leurs fatigues, luttaient maintenant contre la maladie. Nika lui-même fut pris de frissons et de fièvre. On aurait dit que La Salle, grâce à sa volonté, était invulnérable à la maladie, mais puisque ses hommes toussaient et crachaient le sang, il lui était impossible d'aller plus loin.

Avec le seul homme valide de son équipe, La Salle décida de construire un canot pour transporter les malades.

La petite troupe entreprit la longue traversée du lac Érié et l'état des malades s'améliora un peu; ce fut un soulagement pour La Salle de voir que son fidèle Nika prenait du mieux.

Enfin, après cinquante-deux jours d'un hallucinant voyage de 1600 kilomètres, La Salle parvint à Niagara pour découvrir que le fort Conti n'existait plus. Il avait été brûlé. Et toujours pas de nouvelle du *Griffon*.

À toutes les étapes, un malheur attendait La Salle. Malgré tout, il gardait l'espoir. En dépit des désillusions, le courage de cet homme d'acier restait intact. Il donnait à ses hommes l'impression de planer au-dessus des épreuves.

Après deux mois d'un véritable chemin de Damas, d'échecs, de souffrances, La Salle atteignit Cataracoui, pour apprendre que son frère, l'abbé Jean Cavelier, de concert avec des marchands de Ville-Marie, Giton, Péloquin et Migeon de Branssat, ses créanciers, avaient obtenu un décret du Conseil souverain pour se saisir de tous ses biens.

Ce nouveau coup dur ne le désarma pas. Sans perdre de temps, La Salle se rendit aussitôt à Ville-Marie pour faire face à ses créanciers. Il utilisa son éloquence et sa ferveur communicative pour désamorcer la crise. Par son charisme, il renversa en sa faveur la situation difficile. Sa culture, sa vaste expérience du pays, sa connaissance d'autrui lui donnaient un net avantage.

— Mes quatre forts ont été détruits, leur dit-il en substance, mais il me reste mes magasins et mes fournisseurs. Je connais les routes de la fourrure mieux que quiconque. Ce que vous avez saisi est insignifiant en comparaison de ce que nous pouvons obtenir si vous me faites confiance.

Les créanciers l'écoutaient, subjugués. Qui, mieux que La Salle, pouvait asseoir leur fortune? Persuadés qu'ils avaient agi avec trop de précipitation, les marchands consentirent à lui fournir de nouveaux fonds.

Endetté jusqu'au cou, mais la bourse bien garnie, La Salle retourna au fort Frontenac.

La situation n'était guère reluisante. Tous ses forts construits sur une distance de 1600

kilomètres et jalonnant les routes de la fourrure, avaient été anéantis, sauf les magasins.
La Salle devait maintenant se rendre à l'évi-
dence : le *Griffon* avait coulé avec une fortune en peaux évaluée à 60 000 livres.

Il fallait recommencer presque à zéro.
Mais un homme comme La Salle savait re-
bondir. Même si l'année avait bien mal commencé, La Salle misait sur ses effectifs du
fort Crèvecœur où, plusieurs mois auparavant, Tonty s'était rendu en compagnie de
plusieurs hommes pour organiser la traite.

Mais il était écrit dans le ciel que les
revers ne cesseraient pas : trois messagers,
morts de fatigue, apportèrent à La Salle des
nouvelles désastreuses du fort Crèvecœur.

Un certain Noël Leblanc avait fomenté
une révolte entraînant à sa suite une trentaine d'ouvriers. Le fort pillé, les malan-
drins, chargés de peaux, avaient pris le large
laissant derrière eux Tonty, les pères récol-
lets, Membré et La Ribourde.

En cours de route, à la redoute de Michillimakinac, les pillards avaient vidé les magasins des pelleteries qui s'y trouvaient en-
treposées.

Selon les messagers, la bande de larrons,
après avoir tout saccagé, s'était divisée en

deux : le premier groupe avait fui vers New Amsterdan ; le second, composé d'une vingtaine d'hommes, s'était dirigé vers le fort Frontenac dans le but de le dévaliser, de le brûler et de tuer La Salle. Ce dernier écouta le récit sans broncher.

— S'il en est ainsi, dit-il, nous allons leur réserver une chaude réception.

Le découvreur prit aussitôt des dispositions pour parer à ce nouveau danger. Les traîtres voulaient la guerre, ils l'auraient.

La Salle prépara soigneusement une embuscade et fit bloquer les principaux passages de la baie de Cataracoui.

Dans la matinée du 3 août, Nika signala l'approche de deux canots montés par les mutins. Sans se dissimuler, La Salle fonça sur eux et les intercepta.

— Holà, mécréants ! cria-t-il. Bas les armes !

Effrayés par la détermination de La Salle, ils se rendirent sans résistance. Écroués dans la prison du fort, l'un d'eux passa aux aveux. Il révéla même qu'une autre flottille suivait.

Qu'à cela ne tienne. La Salle choisit un endroit approprié pour encercler les pillards et s'y posta avec ses hommes. Se voyant découverts, les gredins mirent pied à terre pour se sauver par les bois, mais leur retraite fut coupée. Quelques-uns voulurent se tirer de ce mauvais pas en tirant sur les hommes de La Salle, et payèrent de leur vie cette fanfaronnade. Les autres se rendirent.

Quoiqu'il eût récupéré plusieurs chargements de peaux, La Salle n'en était pas moins dans une situation dramatique. Ses forts avaient été détruits, le *Griffon* était perdu et le voilier *Saint-Joseph*, qui venait de La Rochelle, avait sombré dans le Saint-Laurent avec une cargaison de 20 000 livres de marchandises et une vingtaine d'hommes à son bord.

La Salle dut faire le bilan de cette année désastreuse. Deux voies s'ouvraient devant lui. S'il concentrait ses activités au fort Frontenac, son château fort, il serait en mesure de payer rapidement ses dettes et de bâtir sa fortune. Il choisit la seconde voie, celle de l'inconnu, de la découverte, du danger, des sacrifices. Il sauta dans son canot et se mit résolument en route vers Crèvecœur.

Un rêve comme le sien ne se mettait pas en cage. Il avait de sa mission une idée trop haute pour qu'on pût l'en distraire; cette idée, comme un dard planté dans sa chair, le poussait en avant et rendait supportables les énormes sacrifices qu'il s'imposait.

* * *

La troupe composée de soldats, de maçons, d'ouvriers, de l'indispensable chirurgien et de quelques prêteurs, s'engagea sur le lac Ontario.

Le bruit courait que Tonty, fidèle compagnon de La Salle, avait disparu, de même le père Hennepin et Michel Accault expédiés l'année précédente sur le Haut-Mississippi.

La disparition de Tonty inquiétait La Salle. Habituellement guère expansif, il ne cachait pas ses sentiments pour Main-de-fer. Cet intrépide mousquetaire était pour lui un véritable ami, un *alter ego* même.

La Salle trouva le fort Saint-Joseph complètement dévasté. Il n'en fut pas surpris. Il eut beau s'informer auprès des Indiens qui voyageaient sur les routes de l'eau, personne ne savait ce qui était arrivé à Tonty. Était-il mort?

Pagayant sur la rivière Kankakee, La Salle poursuivit ses recherches. Il nota au passage des faits alarmants lui laissant croire à une guerre possible entre les Iroquois et les Illinois.

En arrivant dans la bourgade de Pimitéoui, il s'arrêta, frappé d'horreur. Le sol était jonché de cadavres, de corps amputés, de carcasses à moitié déchiquetées par les loups et les oiseaux encore perchés sur les restes des victimes. Ici et là, empilés en tas, La Salle découvrit des vêtements, tuniques, vestes et divers objets de fabrication française.

Qui donc avait perpétré un tel carnage ? Une odeur pestilentielle flottait dans l'air. Malgré sa répulsion et les nausées, La Salle inspecta le cimetière à ciel ouvert et retourna les cadavres, priant que Tonty ne soit pas parmi les morts.

L'inspection terminée, il donna l'ordre de repartir et laissa les corbeaux terminer leur macabre festin.

Le fort de Crèvecœur, qu'il trouva démoli, avait lui aussi subi la rage des déserteurs. Là encore, La Salle chercha vainement des indices lui permettant de croire que Tonty vivait toujours.

Infatigable et tourmenté, La Salle descendit l'Illinois, s'arrêtant souvent pour voir si Tonty n'avait pas, quelque part, laissé une indication, imprimé sa marque dans un arbre ou écrit un message avec la pointe de son couteau.

La Salle poursuivit son voyage sans relâche. Il atteignit le Mississippi et comprit, par toutes sortes de signes que Nika interprétait avec sa science de la forêt, que deux camps, Iroquois et Illinois, étaient engagés dans une guerre sanglante.

Ce qu'il vit en entrant dans le camp des Illinois le glaça d'horreur. Les marmites étaient pleines de membres humains coupés en morceaux; des corps de femmes et d'enfants, empalés sur des pieux et à moitié rôtis, exhalaient des odeurs putrides.

Repus, les Iroquois, en l'absence des guerriers illinois, avaient tué tout le monde et laissé les restes copieux de leurs victimes. Mais parmi les têtes des victimes enfilées sur des pieux, La Salle ne trouva aucun de ses compagnons.

* * *

Bientôt, le froid enveloppa la région, rendant les rivières impraticables et forçant La Salle à demeurer inactif. Il pensait à Tonty, à ses compagnons perdus ou morts sur un immense territoire.

En décembre, malgré les dangers et la fatigue d'un tel voyage, il décida de retourner au fort Saint-Joseph.

Enfin, un jour, deux hommes apportèrent une bonne nouvelle: Tonty vivait, des Indiens l'avaient rencontré dans le village des Potéouatamis.

*   *   *

À peine guéri d'une affection qui le rendait aveugle momentanément, nommée «mal des neiges» et soignée par Nika avec des aiguilles de pin, La Salle se rendit chez les Miamis où il put, à la faveur des événements, exercer ses talents de tribun.

— Mes frères, les Iroquois ont deux visages. Ils frappent dans l'ombre tels des serpents. Ils vous parlent d'amitié, mais c'est pour mieux exercer leur fourberie. Vous les avez suivis dans votre guerre contre les Illinois, mais demandez-vous à quel moment vos alliés actuels s'efforceront de vous tuer en vous surprenant sur vos nattes. Reprenez-vous, mes frères, avant que le courant tumultueux ne vous emporte.

Les Miamis avaient de nombreux griefs contre les Iroquois et promirent de signer une paix honorable avec les Illinois.

La Salle — malgré la distance énorme séparant les deux bourgades — entreprit sans plus tarder de se rendre chez les Illinois, peuple pacifique, pour leur apporter la bonne nouvelle.

Les Illinois l'écoutèrent patiemment, heureux de mettre un terme à une guerre coûteuse en vies humaines.

Sa mission d'ambassadeur de paix terminée, La Salle retourna à Saint-Joseph, et de là, sans perdre de temps, descendit jusqu'à Michillimakinac où, à son grand étonnement, il retrouva Tonty sain et sauf. La Salle ne cachait pas sa joie.

Main-de-fer fit le récit de ses aventures au cours desquelles il avait bien failli laisser sa peau entre les mains des Iroquois et des Sioux.

Ayant entendu dire que des Français étaient à la merci des Sioux, Daniel Greysolon de Dulhut, un émérite coureur des bois, n'avait pas hésité à franchir une énorme distance pour se rendre chez les Sioux. Il leur avait reproché vertement de garder captifs

Tonty, le père Hennepin et quelques hommes de La Salle.

Les belliqueux Sioux, stupéfaits de l'audace du coureur des bois, avaient jugé bon de se rendre aux arguments de Duluth. Tonty et ses compagnons avaient donc recouvré leur liberté.

La Salle, soulagé, était prêt maintenant pour sa grande aventure: l'exploration du Mississippi.

Chapitre 5

Le rêve s'accomplit

La grande idée de La Salle était d'établir une place forte — un deuxième Québec — à l'embouchure du Mississippi et de la relier à la colonie du Saint-Laurent par toute une série de forts construits sur les rives du fleuve Mississippi.

Si son projet s'était réalisé, toute l'Amérique du Nord serait devenue française, La Salle ayant commencé, à partir des Grands Lacs, à construire une série de forts stratégiquement placés sur les routes de la fourrure.

Son projet dérangeait énormément les marchands de Ville-Marie, car si le commerce de la traite se déplaçait vers le sud, ces derniers perdraient de nets avantages. Sans compter qu'ils payaient au roi de fortes redevances pour monopoliser le réseau à leurs fins sur les rives du Saint-Laurent.

Les initiatives de La Salle, qui voulait donner un empire à la France, risquaient de compromettre plusieurs belles fortunes, dont celle de Jacques Le Ber, bâties sur le commerce des pelleteries.

La vision de La Salle n'était pas celle des marchands. Il pensait que la mainmise de vastes territoires jusqu'à l'embouchure du Mississippi allait prendre de court les Anglais de Virginie et les forcer à chercher fortune ailleurs.

Avant d'entreprendre une étape capitale de son exploration, La Salle rédigea son testament le 16 août 1681, léguant tous ses biens et ses droits à son cousin. Puis, il sauta dans un canot, revint au fort Frontenac où il fit ses derniers préparatifs.

Tonty avait pris les devants avec des hommes et une bonne partie de l'équipement ; La Salle devait le retrouver à la rivière des Plaines.

Outre Tonty, l'expédition comprenait Jacques Bourdon d'Autray, le père Membré, François de Boisrondet, le chirurgien Jean Michel, le notaire Jacques de La Métairie et Nicolas La Salle, sans lien de parenté avec le découvreur.

On attendit avec impatience que les eaux se libèrent des glaces, et le 13 février 1682, le voyage commença. Après avoir navigué sur les eaux turbulentes du Missouri, La Salle nota le changement de l'environnement.

Sans arrêt, du matin au soir, les hommes pagayaient à la limite de leurs forces; on campait sur les rives du «père des eaux» en multipliant les précautions, La Salle ayant distribué des consignes sévères.

Une fin d'après-midi, alors que la petite troupe s'apprêtait à prendre un peu de repos dans une baie, des cris s'élevèrent de la rive. La Salle, ne sachant à quoi s'attendre, fit mettre ses hommes en position de combat. La consigne était la suivante: on ne tire qu'à la dernière limite.

La troupe découvrit à proximité un village habité par les Arkansas, des sédentaires qui cultivaient et engrangeaient le blé. Ils semaient aussi des légumes sur de vastes surfaces. Les hommes se détendirent, rassurés. Le chef indien offrit l'hospitalité aux Français et un festin, promit-il, marquerait durant trois jours la rencontre. Il y eut une grande distribution de cadeaux, de ceintures, de jarretières, d'ouvrages artisanaux, de cuillers en os de bison et d'ornements en cuir.

Au cours des cérémonies qui devaient suivre, le notaire de La Métairie prit possession des territoires au nom Sa Majesté Louis XIV, sur toutes les terres, peuples et nations vivant sur le cours de l'Ohio.

Pour les Arkansas, il s'agissait tout au plus d'une formule de politesse en usage chez les Français, et ils saluèrent cette prise de possession avec enthousiasme.

Guidés par des Arkansas, La Salle poursuivit son voyage et pénétra dans une zone inconnue. Les explorateurs Jolliet et Marquette n'étaient pas allés plus loin, neuf ans auparavant, alors qu'ils cherchaient eux aussi la route de la Chine.

Le long des rives, la petite troupe croisa de nombreuses bourgades, sans rencontrer aucune hostilité chez les villageois.

Tonty, à la demande de La Salle qui tâtait prudemment le terrain, se rendit en délégation chez les Taensas, qui habitaient un village construit sur les bords du Mississippi. Il fut reçu avec courtoisie par le chef, qui l'invita à prendre place au milieu de ses femmes.

L'arrivée des Français souleva l'enthousiasme des notables, lesquels, assis en cercle et vêtus de capes blanches, exprimèrent bruyamment leur satisfaction.

Après que Tonty eut parlé de paix et du désir de son grand roi de partager l'amitié avec les peuples du sud, qu'il eut distribué à la ronde des présents, rasoirs, couteaux, tissus et eau-de-vie, le chef exprima le désir de recontrer La Salle. Il se leva de sa natte et annonça que l'hospitalité l'obligeait à se rendre au-devant d'un aussi grand seigneur.

Il fit remplir vingt pirogues de victuailles et, suivi de ses guerriers, se porta à la rencontre de l'illustre visiteur à qui il apportait de nombreux cadeaux, dont un magnifique collier de perles et des robes de fourrure.

De grandes réjouissances et un pacte scella l'amitié des Français et des Taensas, mais ces derniers prévinrent La Salle que plusieurs peuples du sud se montreraient hostiles à la visite des Français. Il convenait donc de redoubler de prudence, d'éviter le plus possible les nombreux villages que La Salle découvrirait sur les rives.

Chez les Natchez, terrifiants par leur apparence, La Salle fit une halte de quelques jours. Il y reçut un accueil chaleureux.

À ce niveau, de l'intérieur des terres, on sentait déjà le souffle puissant de la mer. Le fleuve s'élargissait. La Salle touchait au but et pouvait à peine contenir son émotion. La récompense à tant de souffrances n'était pas loin.

La descente du fleuve se poursuivit sans encombre. À un tournant, La Salle vit que le «père des eaux» se divisait en trois vastes corridors. Il eut un moment d'incertitude. La Salle décida d'emprunter celui de droite, Tonty eut le corridor du milieu et d'Autray, celui de gauche.

La mer. À quelle distance était-elle? Et soudain, par-delà les herbes géantes, elle surgit tel un miroir étincelant.

— La mer! cria La Salle, de toute la force de ses poumons.

Il s'arrêta, fasciné. Après avoir traversé les froides régions des Arkansas, il se trouvait maintenant dans une superbe contrée baignée par les parfums de l'orange et du magnolia.

Ses détracteurs prétendaient qu'il était un illuminé, un lunatique! Quelle blague!

Savourant intensément la victoire de toute sa vie, son rêve s'étant accompli, La

Salle venait de donner à la France — du Saint-Laurent aux bouches du Mississippi — le plus grand empire de tous les temps.

* * *

Dans la journée du 9 avril, après avoir planté la traditionnelle croix et entonné le *Te Deum*, les témoins à cette cérémonie apposèrent leur signature sur le document officiel attestant que sa puissante Majesté Louis XIV prenait officiellement possession de tout le pays baptisé la Louisiane par La Salle.

Le découvreur devait maintenant revenir sur ses pas et retourner à Québec pour annoncer que la France, grâce à lui, venait de s'emparer d'un gigantesque et riche territoire plus vaste que l'imagination pouvait l'envisager.

La petite troupe retraversa le pays à la végétation superbe. Vignes, pruniers, mûriers poussaient d'abondance le long des rives luxuriantes.

À tout moment, le père Membré exultait.

— Nous sommes au paradis terrestre! s'exclamait-il.

Complètement épuisé, La Salle se tenait debout par la seule force de sa volonté. En arrivant chez les Arkansas, il tomba malade, au point que Tonty crut qu'il ne s'en remettrait pas. Soutenu par son exceptionnelle vitalité, il était debout huit jours plus tard, prêt à repartir.

Mais l'explorateur ne se sentait pas prêt à rentrer à Québec, là où l'attendait une meute d'ennemis, dont l'intendant Duchesneau, qui multipliait à son égard les rapports défavorables.

Personnage mesquin et jaloux, Duchesneau avait tout fait pour nuire à La Salle et le déconsidérer dans l'esprit de ses pairs. Il l'accusait de se livrer à la traite illégale, de vendre de l'eau-de-vie aux Indiens, d'abuser de ses privilèges et d'avoir à dessein, pour favoriser son commerce de fourrures, soulevé les Iroquois contre les Français.

Le Ber et La Chesnaye, ex-associés de La Salle, ne manquaient pas de répandre leur venin et de saper — par une cabale soutenue — la confiance des gens qui louaient le courage du découvreur.

La Barre, le remplaçant de Frontenac, un exécrable vieillard à la vue courte et un piètre administrateur, s'était ligué aux détracteurs de La Salle pour lui compliquer l'existence par toutes sortes de mesures administratives. Il avait même expédié un rapport à Colbert dans lequel il disait ni plus ni moins que La Salle n'avait plus «tous ses esprits» et qu'il fallait, pour le bien de la France, le retirer de la circulation.

Mais sa bassesse allait beaucoup plus loin: il espérait acheter la paix avec les Iroquois en leur livrant La Salle.

À Québec, ses ennemis firent si bien leur travail qu'on répétait que la découverte de La Salle était une tromperie faite au roi, une mystification.

Injustement traité, dépouillé de ses biens, traîné dans la boue par des marchants véreux, harcelé par un gouverneur hargneux et malhonnête, La Salle décida donc que la meilleure façon d'obtenir justice était de s'adresser directement à Louis XIV, à qui il venait de donner un véritable empire.

Chapitre 6

La Salle est assassiné par des mutins

On peut s'imaginer dans quel état d'esprit se trouvait La Salle lorsqu'il quitta Québec pour la France. Dépouillé de tous ses biens, y compris l'importante seigneurie de Frontenac, on ne le traitait plus de visionnaire, mais de «menteur public».

Il débarqua à La Rochelle, puis se rendit à Paris. Il trouva un gîte rue de la Grande-Truanderie où il avait logé lors de ses précédents voyages. Par expérience, il n'ignorait pas qu'il attendrait longtemps avant d'être reçu par Louis XIV. Les souverains sont prodigues du temps des autres, mais avare du leur.

Pour échapper aux intrigants qui s'attachaient à ses pas, La Salle entreprit de rédiger un long mémoire sur son aventure dans le sud de l'Amérique, exposant au roi que sa découverte offrait d'immenses possibilités.

En prenant connaissance de ce mémoire, Louis XIV songea sûrement à l'opulente Espagne riche de ses pillages dans le sud des Amériques. Elle transportait plus d'or sur ses galions qu'il y en avait dans tous les pays européens réunis.

Seignelay accepta — après une longue attente — de recevoir La Salle et l'écouta longuement. Peu après cette entrevue, il fit parvenir une lettre à La Barre, le 18 avril 1684, dans laquelle il lui ordonnait de restituer sans délai tous les biens et propriétés appartenant à La Salle.

Quatre jours plus tard, voulant sans doute atténuer les vilenies que l'on faisait à un homme qui venait de lui donner un empire, Louis XIV nommait La Salle gouverneur de tous les pays de l'Amérique septentrionale et des territoires situés dans le bassin du Mississippi.

La Salle demandait deux bateaux pour reconnaître par mer l'entrée du Mississippi et bâtir un fort en Louisiane. Louis XIV et son ministre lui en donnèrent quatre : le *Joly*, la *Belle*, l'*Aimable* et le *Saint-François*.

Mais en confiant le commandement naval à l'irascible et jaloux capitaine Beaujeu, Louis XIV commit une erreur impardonnable.

Beaujeu était l'un de ces prétentieux qui se pensaient supérieurs à La Salle, de condition modeste. Pour ce capitaine, se mettre au service d'un homme du peuple équivalait à déchoir. La vieille aristocratie méprisait les parvenus, ces nouveaux anoblis qui, tel La Salle, possédaient des titres de noblesse fraîchement délivrés.

Tout au long des préparatifs, Beaujeu et La Salle furent en désaccord. Tout était sujet à critique et le capitaine, jaloux de ses prérogatives, prenait un malin plaisir à contrecarrer le nouveau gouverneur, si bien que les deux hommes en vinrent à ne plus se parler.

Une expédition organisée dans d'aussi mauvaises conditions ne laissait présager rien de bon. À tout instant, Beaujeu sapait l'autorité de La Salle, s'y opposait pour des banalités, nuisait par ses interventions à l'organisation d'une expédition qui nécessitait une planification soignée. Inconscient des enjeux, Beaujeu saborda, par vanité et par égoïsme, les intérêts de son pays.

Le départ devait se faire à La Rochelle, le 24 juillet 1684. Tout fonctionnait de travers et La Salle pensa même un moment se désister. Cela fut un prétexte de plus pour Beaujeu, qui laissa courir le bruit que La Salle ne savait pas ce qu'il voulait.

Les bateaux avaient été surchargés et les recrues, engagées à la sauvette. La discorde entre les chefs était si évidente que les passagers ne se sentaient pas à l'aise. D'ailleurs, par son attitude irritante, Beaujeu donnait l'impression qu'il ne voulait pas que l'expédition soit une réussite.

Être si près du but, avoir même obtenu la confiance du roi, et risquer de tout perdre par la faute d'un prétentieux, de surcroît incompétent, fut une épreuve de plus pour La Salle.

Même Seignelay, au courant de l'incompatibilité entre Beaujeu et La Salle, crut bon d'en aviser le roi. Mais pour tout le monde, il était trop tard pour faire marche arrière.

Le *Joly* sur lequel voyageait La Salle, bâtiment de guerre équipé de 36 canons et ayant à bord 240 personnes, alors qu'il pouvait en contenir tout juste 125, eut bientôt sa part de malheurs, la promiscuité et l'absence d'hygiène déclenchant le processus de la maladie. Les bateaux construits à cette époque étaient de véritables tombeaux à ciel ouvert. Même La Salle tomba grièvement malade, au point qu'on dut le porter.

La mort frappa durement à bord du *Joly*; les malades gisaient un peu partout, les baumes et les onguents du chirurgien ne parvenant pas à les soulager.

De toute urgence, il eût fallu jeter l'ancre à Port-de-Paix, à Saint-Domingue, pour y descendre les malades et leur procurer des soins, mais Beaujeu insista pour se rendre à Petit-Goave (aujourd'hui en Haïti), où finalement il jeta l'ancre dix jours plus tard.

Son entêtement coûta la vie à maints malades, mais pour Beaujeu, la vie des gens du peuple n'avait aucune importance.

La Salle, brûlant de fièvre, fut conduit chez son frère, qui habitait un quartier populeux et bruyant. Son état empirant, on déménagea le malade de logis, espérant qu'il se porterait mieux dans un endroit plus calme.

De fait, sa fièvre tomba durant quelques jours. On choisit ce moment pour lui apprendre que les flibustiers espagnols avaient capturé le *Saint-François*, qui portait la majeure partie des vivres et des outils.

Ce coup dur n'améliora pas la condition de La Salle; si Beaujeu avait fait escale plus tôt, au lieu de venir à Petit-Goave, le *Saint-François* aurait été épargné.

Presque tous les compagnons de La Salle gisaient sur le carreau, souffrant de fièvre, de violents maux de tête et de vomissements. La Salle entra dans une période de délire. Mais ce diable d'homme possédait des ressources insoupçonnées, si bien qu'à la mi-octobre, il commença à prendre du mieux. Alors, il ne pensa plus qu'à partir.

Le marquis de Saint-Laurent, lieutenant général des Isles, Tarin de Cussy, gouverneur de l'île de la Tortue et l'intendant Bégon, vinrent le voir à son logis pour discuter de l'itinéraire vers le golfe du Mexique et lui apporter leur aide. Ces administrateurs connaissaient les hauts faits de La Salle et lui témoignèrent estime et amitié, se doutant bien que le capitaine Beaujeu envenimait les choses.

On procéda au ravitaillement des bateaux et La Salle, le 25 novembre, monta à bord de l'*Aimable*.

Les navires atteignirent le golfe du Mexique, mais une brume épaisse empêcha La Salle d'en voir l'embouchure. Toutefois, il sut d'instinct que Beaujeu faisait fausse route et insista pour rebrousser chemin. On avait parcouru 500 kilomètres de trop.

Après avoir longtemps erré, connu de nombreuses misères et perdu le *Joly*, La Salle crut reconnaître l'embouchure du Mississippi, mais il dut admettre, ayant mis pied à terre, qu'il s'était trompé une fois de plus.

L'*Aimable* s'étant échoué sur une batture avec ses effets les plus précieux, Beaujeu crut bon tirer sa révérence, abandonnant La Salle à son sort sur une côte déserte.

La situation était désespérée, les conditions de vie déplorables, la chaleur insupportable, la nourriture si rare que les plus robustes travailleurs tombaient épuisés. Certains en profitèrent pour abandonner le camp de fortune, alors que d'autres tombèrent sous les flèches des Indiens.

La Salle ordonna la construction d'une redoute à fort Saint-Louis, le long d'un cours d'eau (Rivière-aux-Bœufs), mais il était clair que toute l'affaire était extrêmement mal engagée.

Enfin, après une période d'indécision, il sélectionna une trentaine d'hommes parmi les meilleurs et partit à la recherche du Mississippi, tandis que son ami Joutel prenait la tête des engagés qui devaient construire le fort.

Lorsqu'il revint plusieurs mois plus tard à son point de départ, la moitié de ses hommes manquaient à l'appel.

Il était écrit que La Salle ne connaîtrait aucun moment de répit, qu'il vivrait dangereusement et finirait dramatiquement.

* * *

À quarante-trois ans, la vigueur de La Salle restait intacte, mais il vieillissait mal.

Il entrait dans des périodes de morosité au cours desquelles il était sujet à des colères incontrôlées. Pour des riens, il perdait patience et punissait lourdement ses hommes pour des bagatelles.

Peut-être était-il nerveusement et mentalement au bout de son rouleau. Il ne s'était jamais ménagé physiquement, donnant à tous l'exemple d'un personnage surhumain.

Pour son rêve, il avait tout souffert, tout enduré, et la trahison de Beaujeu marqua un changement radical dans son caractère déjà pas facile.

Il pleuvait au Texas. À torrents. Les rivières débordaient de leur lit et il fallait aux hommes de La Salle redoubler d'efforts pour ne pas s'égarer et rester en vie.

Dans la journée du 15 mars, La Salle fit dresser un camp temporaire à peu de distance de la Rivière-aux-Canots et chargea quelques-uns de ses hommes dont Saget, son domestique, Nika, son fidèle compagnon, Hiems, Tessier, Duhaut et Jean L'Archevêque de se rendre non loin du camp, à moins de huit kilomètres, pour chercher une grande provision de maïs que La Salle avait cachée un an auparavant.

Comme la troupe tardait à revenir, La Salle pria son neveu, Moranget, d'aller voir ce qui se passait. Entre la cache de maïs et le camp, le trajet était court et un si long retard inquiétait l'explorateur.

Moranget trouva facilement les retardataires. Les réserves de maïs accumulées par La Salle n'étaient plus commestibles et Nika avait décidé de chasser pour trouver de la viande fraîche.

Superbe tireur, Nika avait abattu deux énormes bisons, que l'engagé Duhaut boucanait au moment où le neveu de La Salle se présenta.

Ce Moranget possédait un sale caractère. Il collectionnait même, semblait-il, les défauts dominants de son oncle.

Au lieu de féliciter le groupe, il s'en prit violemment à Duhaut sur sa manière de «boucaner la viande». Il le traita d'incompétent et l'abreuva d'injures.

Duhaut n'oubliait pas que, précédemment, Moranget l'avait oublié dans les bois, alors qu'il s'était arrêté pour rapiécer ses mocassins.

Duhaut prit une décision: il allait se débarrasser à tout jamais de ce chenapan de Moranget. Son complice, le chirurgien Liotot, lui aussi maltraité et abreuvé d'injures par Moranget, partageait cet avis.

À la tombée de la nuit, les hommes se préparèrent à se coucher, Saget, Nika et Moranget, tous dévoués à La Salle, s'installant un peu à l'écart. Ils s'endormirent bientôt profondément et les assassins crurent le moment choisi pour agir.

La hache à la main, Liotot se précipita sur Moranget et lui fracassa le crâne, pendant que Duhaut et Hiems expédiaient Nika et Saget dans l'autre monde.

Les assassins furent eux-mêmes étonnés de leur audace, car en tuant le neveu de La Salle et deux de ses principaux collaborateurs, ils s'exposaient à payer cher leurs forfaits.

Ils se débarrassèrent des corps en les jetant à la rivière et passèrent le reste de la nuit à chercher un stratagème pour échapper à la vengeance de La Salle, laquelle serait implacable. Ils ne trouvèrent rien de mieux comme idée que d'assassiner le gouverneur de l'Amérique septentrionale.

* * *

L'absence prolongée de son neveu, de Nika, de Liotot et de Saget commença à inquiéter sérieusement La Salle. Avaient-ils été surpris par les Indiens?

Accablé, il s'en ouvrit à Joutel, lequel ne fut pas très tendre à l'endroit de Moranget qui ne comptait plus ses ennemis. Joutel tenait Moranget en piètre estime et ne le cachait pas à La Salle.

Le lendemain, comme il avait été décidé la veille, La Salle se mit en route — suivi du père Anathase et de quelques hommes — pour retrouver son neveu et ses fidèles. Il semblait accablé, troublé et tint au père des propos inhabituels.

Soudain, à peu de distance de la cache, La Salle aperçut la cravate de Saget, maculée de sang; là-haut, dans le ciel, des oiseaux de proie tournoyaient et un sombre pressentiment l'envahit.

La Salle tira un coup de fusil pour éloigner les rapaces. Cela alerta les meurtriers qui attendaient, tapis dans les hautes herbes, la venue de leur commandant.

La Salle éprouvait une sensation curieuse, comme si la vie s'arrêtait. Il fit quelques pas en avant et l'un de ses hommes, L'Archevêque, émergea des broussailles en compagnie de son domestique, Duhaut.

— Avez-vous vu mon neveu? demanda La Salle.

Duhaut fixait son maître d'un air insolent.

— La dernière fois que je l'ai vu, son corps flottait à la dérive sur la rivière.

La Salle fit un pas pour châtier son domestique, mais les assassins passèrent à l'action. Deux coups de feu claquèrent.

Atteint au front, La Salle mourut instantanément.

Les meurtriers se ruèrent sur le corps de leur victime. Ils le dévêtirent, le rouèrent de coups et le traînèrent sauvagement sur les cailloux.

Les compagnons de La Salle qui fermaient la marche arrivèrent sur les lieux du drame et furent à leur tour mis en joue par les assassins.

— Moranget nous a poussés à bout. Nous nous sommes vengés des mauvais traitements que nous avons reçus, confessèrent-ils.

À leur tour, ces renégats allaient connaître une triste fin. N'arrivant pas à se mettre d'accord sur le partage des biens de La Salle, Hiems abattit Duhaut et Liotot fut descendu par Ruter, un coureur des bois.

Hiems tomba plus tard entre les mains des Indiens qui le firent mourir à petit feu. Quant à L'Archevêque, devenu un riche commerçant, les Otos le firent prisonnier et le massacrèrent.

Robert Cavelier de La Salle, le plus grand aventurier de son siècle, laissait en héritage à la France un rêve inachevé.

Bibliographie

Laviolette, Guy, *Robert Cavelier de La Salle*, Les Frères de l'Instruction Chrétienne, La Pointe du Lac, Collection «Gloires nationales», 1943, 32 pages.

Rumilly, Robert, *Histoire de Montréal*, Fides, Tome 1, 474 pages.

Viau, Roger, *Cavelier de La Salle: Figures canadiennes*, Mame, France, 1960, 183 pages.